Lizzie
OH OH
OUDERS!

Sanoma Uitgevers

Een uitgave van Sanoma Uitgevers BV – Hoofddorp
Eerste druk 2006
Oorspronkelijke titel: The 'Rents
Bewerking door Alice Alfonsi
Gebaseerd op de tv-serie bedacht door Terri Minsky
Deel een is gebaseerd op de tv-aflevering geschreven door
Douglas Tuber & Tim Maile
Deel twee is gebaseerd op de tv-aflevering geschreven door
Melissa Gould
Vertaling: Jacqueline Bouwmeester
DTP: Studio Meini
Druk: Koninklijke Wöhrmann BV – Zutphen
Distributie voor Nederland: Aldipress BV – Utrecht,
(030) 666 06 11
Distributie voor België: Het Bronzen Huis - Antwerpen
ISBN-10: 908574 0878
ISBN-13: 978 90 8574 087 2

Lizzie
McGUIRE
DEEL
1

HOOFDSTUK 1

"Luister naar me! Allemaal!" schreeuwde meneer Dig.
Lizzie McGuire en haar bijna in slaap gevallen klasgenoten zaten meteen rechtop achter hun tafels. Waaah, wat heeft díe opeens? dacht Lizzie. Teveel koffie gedronken?
Meneer Dig, Lizzies inval-leraar, ijsbeerde door het lokaal. Toen stopte hij en hief zijn handen in de lucht. "Zet die tv uit! Lees een boek!" brulde hij.
Lizzie keek ongemakkelijk naar haar twee beste vrienden. David 'Gordo' Gordon leek niet erg onder de indruk van meneer Digs uitbarsting.
Miranda Sanchez keek ronduit verveeld. Ze perste haar lippen op elkaar en stak haar hand op. "Hallo," verdedigde ze zichzelf. "Ik

heb vorige week nog iets gelezen, hoor."
"Juffrouw Sanchez," snauwde meneer Dig. "Suffige tijdschriften tellen niet mee."
Miranda knipperde met haar ogen en zakte weer onderuit.
Pff, dacht Lizzie. Meneer Dig heeft echt alarm geslagen in deze klas.
"Hoe zit dat met jou, meneer Gordon?" vroeg de meester. Hij wees naar Gordo. "Wat heb jíj de afgelopen week onder ogen gehad?"
"Honderd jaar eenzaamheid, Onderweg, De ontdekking van de hemel en *Frank Sinatra: Het levensverhaal van The Voice,"* somde Gordo in één adem op.
Meneer Dig trok verbaasd een wenkbrauw op. "Ik probeerde duidelijk te maken dat jullie jongeren veel te wéinig lezen," zei hij. "Je helpt me zo niet echt."
"Oh," Gordo haalde zijn schouders op. "Sorry."
Meneer Dig, even voor alle duidelijkheid, dacht Lizzie. Er zijn een paar dingen die u over Gordo moet weten: 1. hij leest álle boeken, 2. hij heeft áltijd zijn huiswerk af en 3. hij weet álles van films.

"Ik ga jullie een boekenopdracht geven," zei meneer Dig.
De klas zuchtte.

"Ik wil dat alle meisjes *De orchideeën- en gumbo pokerclub* lezen," stelde meneer Dig. "Dat gaat over een moeder-dochterrelatie en over hoe je maatschappelijk kunt groeien."
Nu moest ook Lizzie zuchten. "Moeder-dochterrelatie? Maatschappelijk groeien?" kreunde ze. Ze rolde met haar ogen.

Dit klinkt als
zo'n open-en-dicht-boek.
Een boek dat je wilt dichtslaan
op het moment dat je
het open doet.

"En alle jongens lezen *Over vaders en zonen,*" ging meneer Dig verder. "Dat gaat dus over een vader-zoonrelatie. En voetbal."
Gordo knikte blij. Hij hield van voetbal. "Dat is l-e-u-k," grinnikte hij.
Lizzie leunde richting Miranda. "Ik hou wel van lezen," fluisterde ze. "Maar over een moeder-dochterrelatie? Daar heb ik thuis al genoeg mee te maken."
Wat Lizzie betreft kwam de relatie met haar moeder neer op een paar simpele zinnen die ze dagelijks hoorde: poets je tanden, ruim je kamer op, haal goeie cijfers, maak de tafel

leeg en verder het woord 'nee' op alles wat geld kostte.

Later op de avond nestelde Lizzie zich op haar bed met *De orchideeën- en gumbo pokerclub.* Ze deed zuchtend het boek open en had niet eens zin in één regel, laat staat in zeven hoofdstukken. Maar meneer Dig zou haar een cijfer geven voor haar boekverslag, dus ze móest wel.

Hoofdstuk een, las Lizzie. *Belangrijke momenten. Ze komen en gaan in onze levens, net als trams en de zomerwind. Als het lieve, bijna onzichtbare roze van de bloesem van kamperfoelie – het is er heel even, slechts een miniem moment… Dan is het voorbij. Kiezen wij die momenten? Of kiezen zij ons?*

Lizzie ging wat rechterop zitten. Dit was eigenlijk best interessant, dacht ze. Ik snap waar dit over gaat, want zelf denk ik ook vaak hoe sommige belangrijke momenten mijn leven bepalen. Zoals: wat gebeurt er met me als ik niet in het cheerleaderteam kom? Of als ik van ritmische gym af ga?

Of als ik voor de neus van Ethan Craft over

een vuilnisbak struikel?
Lizzie las verder in *Orchideeën* en aan het eind van het eerste hoofdstuk zat ze helemaal in het verhaal. Het ging over een jonge vrouw, genaamd Darcy Lou, die met haar moeder Tallulah in Louisiana woonde. Darcy Lou en haar moeder waren arm, maar ze hadden een nauwe band. Toen ze verliefd werd op een jongen uit een rijke familie uit New Orleans, beloofde haar moeder er alles aan te zullen doen om Darcy's droom werkelijkheid te laten worden.
"Darcy Lou deed stilletjes haar handschoenen uit, legde ze op de divan en blies de kaars uit," fluisterde Lizzie na een uur achter-elkaar-door-lezen.
"En toen was er alleen nog de nacht, er waren sterren en de herinnering aan liefde." Einde hoofdstuk 5.
Lizzie slikte. Ze had niet verwacht dat ze een paar traantjes zou laten bij dit boek. Meneer Dig had wel mogen zeggen dat we een doos tissues in de aanslag moesten houden, dacht ze voordat ze in huilen uitbarstte.
"Wat is dit mooi!" snifte Lizzie. "Wat is ze verdrietig! Ze houdt van haar moeder!"

Zucht...
Wat moo-oo-ooi!

HOOFDSTUK 2

"We zitten in een onmogelijke situatie, Lanny," zei Matt McGuire. Hij zat op zijn bed. "We moeten iets verzinnen."
Het afgelopen uur hadden Matt en zijn beste vriend, Lanny, speelkaarten richting de prullenbak gegooid. Ze probeerden intussen een nieuw Project te bedenken. Dat was niet gelukt en ze hadden bovendien niet één kaart in de prullenbak weten te mikken.
Lanny, die nooit leek te praten, zuchtte en perste zijn lippen op elkaar. Matt, die beter gedachten kon lezen dan een waarzegger op de kermis, knikte instemmend en zei: "Je hebt gelijk. Dit is niet de tijd van het jaar om te gaan skiën."
Ze zaten nog vijf minuten in stilte. Toen hief Matt zijn handen in de lucht. "Kom op, er

moet toch íets zijn… Denk, denk, denk…"
Terwijl de jongens zaten te denken, verscheen er opeens een chimpansee voor het raam met een kakikleurige broek en een groen T-shirt aan. De kleine aap klom door het open raam, huppelde Matts bed op en ging erop zitten alsof het van hem was.
Matt en Lanny keken naar het dier tussen hen in. De chimp krulde zijn lip. Matt trok een wenkbrauw op. "We hebben een chimpansee," zei hij tegen Lanny. "Daar kunnen we wel iets mee."
Lanny knikte.
Matt wist niet waar de aap vandaan kwam, maar op dat moment interesseerde het hem niet. Het was het begin van het eind van de Verveling.
"Wat supercool!" juichte hij. Maar eerst moest hij nog iets anders doen: zichzelf voorstellen. "Hai makkertje, ik ben Matt en dit is Lanny..."
Matt stak zijn hand uit, maar het onbeleefde dier nam 'm niet aan. In plaats daarvan stak hij zijn tong uit en blies keihard, waardoor Matt en Larry allebei een douche van spuugklodders kregen.

"Hé, doe niet joh!" riep Matt. "We willen alleen maar aardig zijn."
De aap krijste hoog, zwaaide met zijn armen en begon door de kamer te rennen. Hij gooide van alles omver.
"Hé joh! Niet doen! Rustig aan!" brulde Matt. "Wat hebben we fout gedaan?"
Maar de aap keek niet op of om. Hij trok aan Matts basketbalring, gooide actiefiguurtjes omver en trok een glazen lamp van z'n plek. Kletsj! De lamp lag in duizend stukjes.
Matt was zich kapot geschrokken, maar schrok nog meer toen hij zijn vader de trap op hoorde komen.
De deur van zijn kamer vloog open en meneer McGuire stond in de deuropening. Hij leek wel een vulkaan die op uitbarsten stond. Matt en Lanny zaten doodstil, wachtend tot de ramp zich zou voltrekken.
"Okeeeeee!" barstte meneer McGuire los, "hoe vaak moet ik nog zeggen dat jullie een beetje rustig moeten doen?" Al eerder hadden de jongens de cd-speler te hard aangezet, waardoor meneer McGuire naar boven was gekomen. Hij was niet blij dat hij nu weer de trap op moest komen.

"Wie heeft dat gedaan?" vroeg hij en hij wees naar de kapotte lamp.
Matt gebaarde met zijn duim naar achteren. "Hij."
"Wie?" vroeg meneer McGuire.
"Die aap," zei Matt. Maar toen hij omkeek, ontdekte hij dat het beest er al door het raam vandoor was gegaan. "Er was hier een chimpansee," legde hij zijn vader uit. "Hij rende als een gek rond en sloopte mijn lamp."
Meneer McGuires ogen schoten vuur achter zijn bril.
"Weet je zeker dat je geen beter verhaal hebt?" vroeg Sam McGuire. "Want als je niet met de waarheid komt, moet je die lamp van je zakgeld betalen."
Matts mond viel open. Zijn vader geloofde hem niet! Maar hij kon er echt niks aan doen dat het zo'n zootje was!
"En nu is het afgelopen met dat drukke gedoe," waarschuwde meneer McGuire.
"M-maar..." sputterde Matt tegen.
Bam! Meneer McGuire zat op niet nog meer smoesjes te wachten. Hij had zich omgedraaid en de deur dichtgegooid, heel hard.
Gefrustreerd liet Matt zich achterover op het

bed zakken. Opeens kwam de kop van de aap weer tevoorschijn. Matt fronste naar het dier dat een harige vinger in zijn richting stak en eigenwijs lachte.
"Lanny," zei Matt met tot spleetjes geknepen ogen. "Ik geloof dat we hier met een heel stóúte chimp te maken hebben."

Intussen ging één kamer verder de huilmarathon gewoon door. Het was wat donkerder geworden en er verschenen schaduwen op de muur, maar Lizzie had het niet in de gaten. Het lampje naast haar bed gaf genoeg licht om *De orchideeën- en gumbo pokerclub* verder te kunnen lezen – en dat deed ze dan ook…
"Tallulah zat op de veranda, haar gezicht als een donderwolk," fluisterde Lizzie. *"Darcy Lou keek naar haar door de louvredeurtjes. Het was alsof ze haar toekomst duizend keer voor zich zag."*

Dit was het moment in het boek waarom Darcy Lou op het punt stond haar moeder te verlaten en met haar nieuwe echtgenoot naar een ver oord te vertrekken. Lizzie kon de

weeïge geur van de orchideeën in Tallulah's tuin bijna ruiken.
Ze beet op haar lip, sloeg om, en las de laatste bladzijde…

"Mama? Ik ben klaar om te gaan, " zei Darcy Lou.
"Voordat je weggaat, Darcy Lou," zei Tallulah, "wil ik… je dit geven…" Tallulah gaf Darcy Lou een klein doosje.
Darcy herinnerde zich het doosje. Ze had het ooit één keer gezien – toen Tallulah haar had verteld wie haar echte vader was.
"Oh, mama," zei Darcy Lou, terwijl ze het doosje opende en erin keek. "Het is de armband die je van Ben Turpin hebt gekregen!"
Darcy kon haar ogen niet geloven. Ze wist hoeveel deze armband voor haar moeder betekende. "Waarom geef je hem aan mij, mama?"
"Ach liefje," zei Tallulah. "Mijn hart en ziel moeten zijn waar jij bent, waar je ook gaat. Als ik sterf en tot stof verga, dan is er altijd nog iets van mij bij jou."
Met tranen in haar ogen rende Darcy Lou op Tallulah af en wierp zich in haar moeders

armen. "Oh, mama, mama. Ik wil dat wij vriendinnen zijn. Voor altijd."
"Oh, ik ben zo blij, lief duifje," zei Tallulah. "Nu kan ik het eindelijk zeggen: welkom bij de Orchideeën- en gumbo pokerclub."
"Oh, mama. Wat is het fijn om hier te zijn!" zei Darcy Lou. Toen kuste ze haar moeder voor de laatste keer.
Ooit, op een dag, zou Darcy Lou terugkeren naar haar geliefde thuis. Tot die tijd zou ze het met de herinnering moeten doen, samen met de enorme liefde voor haar moeder, diep in haar hart. En dat was precies wat ze deed toen ze door de voordeur liep, op weg naar haar nieuwe horizon die toekomst heette."

Met tranen in haar ogen deed Lizzie het boek dicht. Ik voel me precies als Darcy Lou, dacht ze. Ik hou zóveel van mijn moeder en ik zou ook zó verdrietig zijn als ik net als Darcy Lou zou trouwen en ver weg zou gaan wonen…
Oh help, ik kan gewoon niet ophouden met huilen!
Ik wou dat míjn moeder me 'lief duifje' noemde en me zo'n speciale armband gaf. En ik wil ook dat we altijd vriendinnen zijn,

besloot Lizzie. Ze depte haar tranen.
Ik weet wat, dacht ze uiteindelijk. Mam en ik kunnen onze eigen 'Orchideeën- en gumbo pokerclub' beginnen. Ik ga het haar meteen vragen. 'Tallulah', ik kom eraan!

HOOFDSTUK 3

Lizzie racete de trap af en vloog de woonkamer binnen waar haar ouders televisie zaten te kijken. "Mam! Mam! Mam!" riep ze. "Ik wil vriendinnen met je worden!"

"Dat is geweldig, meisje," zei Jo McGuire. Ze draaide zich om naar haar echtgenoot. "Sam, hoor je dat?"

"U-huh," zei Lizzies vader, maar hij hield zijn blik strak op de tv gericht. "Kan ze wat zachter doen?" Hij wees naar de tv.

Meneer McGuire zat helemaal aan de buis vastgeplakt. "Wauw!" zei hij. Zijn ogen werden groot. "Moet je háár zien! Wat een kanjer, zeg!"

Mevrouw McGuire lachte naar Lizzie. "We zíjn toch vriendinnen, lieverd?"

"Ik bedoel niet 'vriendinnen' als in jij-

brengt-me-naar-sportraining-en-ik-geef-jou-voor-Moederdag-een-fijne-geurkaars."
Lizzie liet haar *Orchideeën- en gumbo*-boek zien. "Ik bedoel: vriendinnen als in vrouwen die alles met elkaar delen. Vriendinnen die je bij Oprah op tv ziet. En het moet nú gebeuren, voordat je sterft en tot stof vergaat!"
"Ach kom, zij móet de finale wel halen!" riep Lizzies vader uit. Hij had zijn ogen nog niet van de televisie afgewend. "Kom op jury, kijk nou naar haar! Hoe ze loopt en hoe ze beweegt! Ze is geweldig!"
Mevrouw McGuire negeerde haar echtgenoot en probeerde haar dochter een zo goed mogelijk antwoord te geven.
"Nou liefje, ik was eigenlijk nog niet van plan om eh, tot stof te vergaan. Maar als je wilt dat we wat closer worden, nou, gráág..."
"Oh!" juichte Lizzie. "Dan beginnen we onze eigen Orchideeën- en gumbo pokerclub!"
"Oké," zei mevrouw McGuire die het nog niet helemaal begreep. "Wat dat ook moge zijn, ik vind het prima."
"Die stomme jury!" klaagde Lizzies vader.

"Hoe kan die Duitse herder nou winnen? Die Cocker Spaniël is echt véél mooier! Dat is de druppel. Ik kijk nooit meer naar hondenshows op tv!"

De volgende morgen begonnen Lizzie en haar moeder met hun *Orchideeën- en gumbo pokerclub* door met z'n tweetjes buiten de deur te gaan ontbijten. Daarna zetten ze koers richting het winkelcentrum.
Nu zijn vrouw en dochter de deur uit waren, besloot meneer McGuire wat tijd door te brengen met zijn zeer geliefde verzameling stenen tuinkabouters. Eerst werkte hij de wat verkleurde verf op hun wangen bij, toen hun felgekleurde kleding en hun piepkleine tuingereedschap. Daarna maakte hij andere 'kabouters-aan-het-werk'-opstellingen in de voortuin.
Tegen de middag had meneer McGuire het erg heet en stikte hij van de dorst. Hij liep de keuken in om zichzelf een glas limonade in te schenken. Opeens stond hij stokstijf stil. Het leek wel of er een cycloon door de keuken was geraasd. Stoelen waren omgevallen, vaatwerk lag in duizend scherven. Er lag

overal eten en de vuilnisbak stond op z'n kop, met alle vuilnis bezaaid over de vloer.
Meneer McGuire ontplofte bijna. "Matt! MAAAAAATT!"
Lanny en Matt kwamen vanuit de achtertuin naar binnen gerend. "Zo hé, wat een rotzooi! Wat is hier gebeurd?" vroeg Matt zodra hij de rommel zag.
"Dat wou ik net aan jou vragen," blafte meneer McGuire.
Matt deed een stap naar achteren. Pap denkt dat ík dit heb gedaan, dacht hij. Maar Lanny en ik zitten al de hele morgen in de tuin.
"Dit heb ík niet gedaan," zei Matt.
Meneer McGuire vouwde zijn armen voor zijn borst. "En wie dan wel?"
Matt keek naar Lanny. Ze wisten het allebei.
"Klopt, Lanny," zei Matt. "Het was die stomme aap weer."
Meneer McGuire trok het niet meer. "Wou je soms wéér zeggen dat een of andere chimpansee de boel hier overhoop loopt te halen?" brieste hij.
"Maar het ís zo," protesteerde Matt.
"Ik heb er schoon genoeg van," zei meneer McGuire. Hij hief zijn handen in de lucht.

"Jullie hebben allebei huisarrest."
"Wát?" Matt kon niet geloven dat zijn vader hem strafte voor iets wat hij niet eens had gedaan! En voor zijn mede-onschuldige vriend was het al helemaal niet eerlijk. "Je kunt Lanny geen huisarrest geven," zei Matt. "Want hij is niet jouw kind."
"Dat is waar," zei meneer McGuire. "Dan heb jij twee keer zo lang huisarrest, Matt. Lanny, jij helpt hem met het opruimen van de keuken."
"Wat?" riep Matt.
Maar meneer McGuire was al weggelopen. De jongens bleven achter met de rommel. Ze zuchtten. Matt draaide zich naar Lanny. "Lanny, dit is niet zomaar een stóúte chimp. Het is een in- en in- slecht exemplaar!" zei hij.
Op dat moment hoorden de jongens gestommel in een keukenkastje. Ze stormden erop af en deden het deurtje open.
Daar zat de aap, in al zijn harige glorie. Hun kleine vriend sprong uit de kast. Matt en Lanny schrokken ervan en deden een stap achteruit. Daarna denderde het ellendige

beest als een wilde de keuken door en verdween hij om de hoek.
Matt kneep zijn ogen tot spleetjes. Toen zei hij ernstig tegen Lanny: “Wij moeten een aap vangen.”

HOOFDSTUK 4

Ergens anders in de stad schoven Gordo en Miranda net aan een tafeltje in de Digital Bean, hun favoriete internetcafé. Gordo had patat gekocht en Miranda een blikje fris.

"Ik heb honger," bedacht Miranda zich opeens toen ze Gordo's frietjes rook. Ze boog voorover, pikte er één en stak hem in haar mond.

"Ja, en ik heb dorst," zei Gordo. Hij nam een slok van Miranda's drankje. Ze mepte hem vriendschappelijk op zijn schouder en gapte nog een paar patatjes.

"Hé, jongens!" riep Lizzie. Ze liep naar hun tafeltje en plofte neer.

Miranda keek blij op toen ze haar beste vriendin zag. Toen ontdekte ze iets vreemds. Lizzie was niet alleen. "Lizzie heeft haar

moeder meegenomen," fluisterde Miranda tegen Gordo.
"Hallo, mevrouw McGuire," zei Gordo toen Lizzies moeder ook bij hen aan tafel schoof.
"Ze komt bij ons zitten!" piepte Miranda in Gordo's oor.
"Hallo luitjes, wat zijn jullie aan het doen?" vroeg Lizzies moeder glimlachend.
"Niets. Helemaal niets," zei Gordo op verdedigende toon. "We doen helemaal niks."
Oh, hellepie, dacht Miranda in paniek. Ik weet wat ze komt doen. Ze heeft natuurlijk ontdekt wat we vorige week in haar huiskamer hebben uitgevreten!
"We hebben uw kikkerbeeldje niet kapot gemaakt," flapte Miranda eruit. Ze kon de druk niet meer aan.
Gordo keek Miranda boos aan. "Hij was al stuk toen we binnenkwamen," loog hij.
"Oh, oké," zei mevrouw McGuire. "Ik vond het toch een stom ding." Ze haalde haar schouders op. "Ik heb het van een neef van Sam gekregen, voor mijn verjaardag."
Gordo was blij te horen dat er geen onweer op komst was. Maar als Lizzies moeder dáár niet voor hierheen was gekomen, waarom

dan wel? "Dus, eh, mevrouw McGuire, u komt Lizzie even brengen?" viste hij.
"Nee-hee," zei Lizzie. "Ze blijft gezellig bij ons."
"Waarom?" wilde Miranda weten.
"Omdat we vriendinnen zijn," antwoordde Lizzie. "Daarom blijven we bij elkaar."
Miranda's mond viel open van schrik.
"Weet je wat? Ik ga even naar de wc," zei mevrouw McGuire. Ze draaide zich om naar Lizzie. "Ga je mee, liefje?"
Lizzie lachte. "Ik kom zo, Tallulah," plaagde ze.
Zodra mevrouw McGuire buiten gehoorafstand was, draaide Gordo zich naar Lizzie. "Oké, ze is weg. WAT is er aan de hand?" vroeg hij.
"Zei ik toch," zei Lizzie. "Ik wil vriendinnen zijn met mijn moeder."
Miranda's verschrikte blik veranderde in verbazing. "Waarom?"
"Omdat ik door *Orchideeën en gumbo* ben gaan begrijpen hoe belangrijk het is om tijd met je moeder door te brengen," zei Lizzie.
Gordo schudde zijn hoofd. Lizzie moest met beide benen op de grond komen. "Ouders

verdienen de kost en moeten van alles opofferen om ons onderdak te geven en ons te steunen en te leiden," legde hij uit. "In ruil daarvoor willen wij zo min mogelijk met hen te maken hebben. Da's een natuurwet."
"Ja!" knikte Miranda heftig. "Als je thuiskomt bijvoorbeeld en je ouders vragen: 'Wat heb je vandaag gedaan?' Dan zeggen wij: 'Oh, niks.' Dan vragen zij: 'Wat ga je vanavond doen?' En wij antwoorden: 'Weet ik niet.' En zij klagen dan: 'Waarom prááT je nooit met ons?' En wij zeggen: 'Laat me toch met rust!' En dan ren je naar boven."
Lizzie fronste.
"Zo min mogelijk communicatie," voegde Gordo toe. "Zodat we goed voorbereid zijn op een huwelijk."

“Nou, ik wil een wat volwassener relatie met mijn moeder,” legde Lizzie uit. “Ik bedoel: dat waar jullie het over hebben, dat hebben wij allang achter de rug. We begrijpen elkaar nu helemaal en kunnen elkaar in alles steunen.”

HOOFDSTUK 5

"Jouw pot ziet er uit als een verkeerd in elkaar gezette olifant," gniffelde mevrouw McGuire.
"En de jouwe alsof er een verkeerd in elkaar gezette olifant bovenop is gaan zitten," plaagde Lizzie terug.
Lizzie en haar moeder zaten allebei aan een pottenbakkerstafel, achter een homp natte, grijze klei. De dag nadat Lizzie haar vrienden in de Digital Bean had gesproken, had ze haar moeder voorgesteld om samen een pottenbak-workshop te volgen.
Mevrouw McGuire vond dat een geweldig idee en ze waren meteen naar het Cultureel Centrum gegaan om zich op te geven.
"Ik heb iets voor je," zei mevrouw McGuire ernstig.

Lizzie keek verwachtingsvol op. Haar moeder leunde voorover en smeerde klei op de punt van Lizzies neus. "Mám!" riep Lizzie. "Hm. Ik heb ook wat voor jou."
Lizzie keek om zich heen en haar oog viel op een bakje met stukjes gekleurd plastic om potten mee te versieren. Ze pakte er een piepklein rood driehoekje uit en gaf het aan haar moeder. "Alsjeblieft."
"Oh!" juichte mevrouw McGuire alsof Lizzie haar een waardevolle halsketting had gegeven. "Een stukje afgebroken plastic! Dankjewel! Wat geweldig!"
"Ik heb er lang naar moeten zoeken," zei Lizzie en ze schoten allebei in de lach.

“Leuk dat je dit met me wilt doen,” zei Lizzie tegen haar moeder. Ze wees naar de klei op haar neus. “We hebben iets nieuws geleerd én we hebben een gratis beautymasker gekregen.”

Mevrouw McGuire lachte. “Dat was een goed idee van je, lieverd. Maar ik ben die potten een beetje zat. Volgens mij ben ik toe aan een nieuwe fase in het kleien: naar menselijk model.”

Ze dachten allebei twee seconden na en riepen toen tegelijk: “Brad Pitt!”

Op dat moment ging mevrouw McGuires telefoon. Met natte handen viste ze het apparaatje uit haar zak. “Hallo? Oh, hoi!”

Terwijl mevrouw McGuire naar de persoon aan de andere kant van de lijn luisterde, verdween de lach van haar gezicht. “Alweer?” vroeg ze geïrriteerd. “Dat blijft ook maar aan de gang.”

Ze zuchtte ongelukkig. “Luister, ik zit hier in de klei – nu kan ik niet praten. Nee, niet op een beautyfarm, we proberen potten te bakken.” Ze schudde haar hoofd. “Ik bel nog wel terug. Dag!”

“Waar ging dat over?” wilde Lizzie weten

toen haar moeder haar telefoontje had uitgedrukt.
"Oh, niks," zei mevrouw McGuire.
Maar Lizzie wist dat haar moeder loog.
De handen van haar moeder gingen krachtiger te keer in de klei dan nodig was. Er was duidelijk iets aan de hand. "Kom op, mam, we zijn vriendinnen, vertel het nou maar," drong Lizzie aan.
Mevrouw McGuire dacht even na. "Oké," zei ze. "Dat was oma. Ze zei dat ze bij opa weg wil en ze wil verhuizen."
Lizzie hield op met adem halen.

“Oma?” piepte Lizzie.
“Ze zegt dat ze bang is dat ze dingen mist in het leven,” zei mevrouw McGuire vermoeid. “Ze wil skiën in de Alpen en sushi eten in Tokyo en… line-dancen in Texas.”
Lizzies mond viel open. Ze zag haar tachtigjarige oma al van een honderd meter hoge skischans afkomen, rauwe inktvis eten met stokjes en line-dancen met cowboylaarzen aan.
Ze rilde bij de gedachten alleen al.
Oma’s horen in een stoel te zitten en te breien, dacht Lizzie. Ze horen níet om te gaan met skileraren, sushikoks en cowboys.
“Ze zegt dat opa alleen maar voor de televisie wil zitten en dat hij meer met de tv praat, dan met haar,” legde mevrouw McGuire uit. Lizzie kreeg weer een schrikwekkend beeld voor ogen. Haar opa, een bleke oude man die altijd warm gekleed was en een enorme bril droeg, sprong op van zijn stoel om de tv te omhelzen.
“Gaan ze uit elkaar?” vroeg Lizzie aan haar moeder.

Mevrouw McGuire schudde haar hoofd en probeerde Lizzie gerust te stellen. "Dat zegt ze elk jaar en ze heeft het nog nooit doorgezet. Ik zal nog eens met haar praten. Stuur ik haar een weekje op vakantie en daarna is ze het weer vergeten."

"Ik heb je er anders nog nooit eerder over gehoord," zei Lizzie.

"Oh, we wilden jullie hier niet mee opzadelen," zei Lizzies moeder. "Maar nu wij zo dicht naar elkaar zijn toegegroeid... Het is fijn om er met een andere vrouw over te praten."

Mevrouw McGuire glimlachte, maar Lizzie niet.
"Ja, heel fijn," antwoordde ze. En deze keer was het Lizzie die krachtiger in de klei kneed dan eigenlijk nodig was.

HOOFDSTUK 6

Intussen gingen Matt en Lanny bij de McGuires thuis helemaal op in hun Grote Apenjacht.

De chimp kwam op de mafste tijden tevoorschijn en zorgde voor een hoop ongemak. Matt was vastbesloten het dier te vangen om zijn vader voor eens en altijd duidelijk te maken dat hij niet had gelogen.

Matt had ontdekt dat het dier door de achterdeur het huis binnenkwam. Daarom hielden Lanny en hij zich nu schuil. Lanny had zich binnen verstopt, Matt zat buiten achter een grote stoel.

Toen de aap zich eindelijk liet zien en een dutje wilde doen op de tuintafel, sloop Lanny op zijn tenen naar buiten. Matt kwam achter de stoel vandaan.

Maar op het moment dat de jongens de aap wilden grijpen, sprong het beest op, en de jongens grepen elkaar vast.
Daarna verstopten Matt en Lanny zich in de keuken. Steeds als ze het getrippel van kleine voetjes hoorden, kwamen ze vanachter het aanrecht tevoorschijn. Maar steeds was de snelle chimp alweer verdwenen.
Dag in, dag uit waren de vrienden bezig met het vangen van de chimpansee. Boven, beneden, in de tuin. Op een gegeven moment hadden ze zelfs Matt als grote banaan verkleed. Matt zat doodstil op het kookeiland in de keuken en probeerde op die manier de aap te lokken, terwijl Lanny zich schuilhield met een enorm vlindernet. Maar de chimp was hen steeds te slim af.
Uiteindelijk besloten Matt en Lanny zich te verstoppen in de vuilnisbakken buiten.
Jammer genoeg besloot meneer McGuire – die van niets wist – juist een vuilniszak uit de keuken in de bak te gooien. Hij had niet in de gaten dat de jongens erin zaten...
Terwijl zijn vader terugging naar binnen, kwam Matt uit de vuilnisbak tevoorschijn – bedolven onder theezakjes, tissues en vieze

stukjes groente. Getver!
“Dit wordt ‘m niet, Lanny,” gromde Matt.
Lanny kwam uit zijn vuilnisbak en fronste naar zijn besmeurde vriend.
Matt zuchtte. “We moeten dat beest vangen voordat ik mijn levenlang huisarrest heb,” zei hij. “We moeten een plan verzinnen en zorgen dat we slimmer zijn dan hij.”
Lanny knikte vol overtuiging. Toen viste hij een blaadje sla uit Matts haar.

HOOFDSTUK 7

“Hé pap,” zei Gordo terwijl hij op zijn vader afstapte. “Ik vroeg me af of je met me wilde gaan voetballen van het weekend. Je weet wel, alleen jij en ik.”

Dr. Gordon keek op van zijn boek. Van achter zijn kleine, ronde bril keek hij zijn zoon bezorgd aan. “Gaat het wel goed met je, David?” vroeg hij.

“Ja. Hoezo?” vroeg Gordo.

“Als psychiater weet ik dat je in een leeftijdsfase bent beland waarin het normaal is dat je afstand neemt van je ouders,” legde hij uit. “Maar jij lijkt ervoor te kiezen dat we meer contact hebben dan anders.”

Gordo haalde zijn schouders op. “Ja, ik ben nu eenmaal een beetje, eh, anders.” Hij liet zijn vader het boek zien dat hij van zijn

leraar moest lezen. "Ik heb dit net gelezen en het gaat over voetbal en ik dacht dat het leuk zou zijn om eens te gaan voetballen."
Dr. Gordon knikte. Hij sloeg zijn agenda open om te kijken of hij ergens een plekje had. "Wat een geluk!" zei hij opgewonden. "Op zaterdag heb ik nog tijd. We kunnen om half zeven weggaan, om zeven uur ontbijten..."
Hij maakte wat aantekeningen. "Om even over half acht weer in de auto, dan zijn we om acht uur vijftien bij dat mooie voetbalveld in het park. Daar kunnen we een minuut of tien een balletje trappen in een natuurlijke omgeving. Vervolgens hebben we nog even tijd voor een spontaan gesprek over onze plaats in de wereld en hoe we ons daarbij voelen. Wat denk je? Zou een minuut of drie genoeg zijn? Of liever vijf?"
Gordo keek bedenkelijk bij de gedachte aan het vader-zoon-gesprek dat hem te wachten stond. "Dríe is prima," zei hij snel.

Intussen zat Miranda in haar kamer haar huiswerk te maken toen haar moeder binnenkwam.

“Hai schatje,” zei mevrouw Sanchez. Ze droeg een stapel schoon, opgevouwen wasgoed. “Hier heb je wat schone handdoeken.”
Miranda keek ernaar. “Mmm, ze ruiken naar wasverzachter,” zei ze. “Wat denk je: kunnen wij vriendinnen zijn?”
“Wat?” vroeg mevrouw Sanchez.
“Je weet wel, samen dingen doen, naar het winkelcentrum of zo,” zei Miranda schouderophalend.
Mevrouw Sanchez hief haar armen op. “Ik pak mijn portemonnee,” juichte ze.
“Echt?” vroeg Miranda. Ze kon het bijna niet geloven. Haar moeder deed of ze de lotto had gewonnen!
“Meen je dat?” vroeg mevrouw Sanchez. “Mag ik iets leuks doen met mijn dochter? Ik koop nieuwe kleren voor je! En een paar nieuwe schoenen! En dan gaan we lekker eten en, oh ja, ook nog naar de kapper en nieuwe make-up kopen!”
Ze stopte even en keek naar haar kleren. “Ik kleed me gauw om!”
Wow, dacht Miranda terwijl haar moeder haar kamer uit liep. Ik wist niet dat ik van tijd doorbrengen met mijn moeder zelf ook

het gevoel zou krijgen dat ík de lotto had gewonnen!

Bij de McGuires thuis zaten Lizzie en haar moeder aan de keukentafel, waar ze een laagje kleur op hun misvormde kleisels smeerden.
"Ik maak me nog steeds een beetje zorgen om oma," bekende mevrouw McGuire terwijl Lizzie wat rode verf op haar kunstwerk smeerde.
"Ze is op vakantie geweest zoals altijd als het weer eens zover is. Maar ze is nog steeds ongelukkig. En ze heeft nog wel vier keer de bingo gewonnen!"

"Ik denk dat er niets anders op zit dan gewoon afwachten hoe het verder loopt," zei mevrouw McGuire. "Net als toen pap een probleem met de belastingdienst had."
Lizzie bevroor. "Had pap een probleem met de belastingdienst?" vroeg ze geschrokken. Haar penseel was ergens in de lucht blijven steken.
"Oh, dat kun je wel zeggen," zei mevrouw McGuire. Ze verfde vrolijk verder. "We stonden op het punt het huis te verkopen om de schuld af te kunnen betalen."

Mevrouw McGuire merkte niet dat Lizzie genoeg kreeg van de horrorverhalen. Ze praatte maar door en door. “Het bleek uiteindelijk een vergissing te zijn. Iemand had een verkeerd nummertje ingetikt, waardoor je vader en iemand anders door elkaar waren gehaald. De belastingdienst dacht dat ze nog 618 miljoen dollar van ons kregen.”

Lizzie grijnsde. Ze zag haar vader al voor zich: dag en nacht achter zijn rekenmachine om maar uit te vogelen hoe hij al dat geld bij elkaar kon schrapen. Wat natuurlijk nooit lukte. Ze zag al voor zich hoe ze met z’n allen de spullen inpakten om ergens in een tent te gaan wonen. Hoe haar ouders opgehaald werden door de politie en naar de gevangenis werden gebracht…

Lizzie schudde haar hoofd om die gedachten uit haar hersens te krijgen. Waah, dacht ze opeens. Als ik hier blijf zitten, gaat mam me vast nog meer van die rotverhalen vertellen. Dat trek ik echt niet!

“Oh jee, ik moet nog huiswerk maken!” riep Lizzie opeens. “Ik heb heel veel vandaag. Kost me uren.”

“Zal ik helpen?” vroeg mevrouw McGuire.

“Ik denk dat ik het beter in mijn eentje kan doen,” zei Lizzie snel. “Doei!”

Later die dag zag Lizzies vader een tros bananen in de deuropening liggen.
Vreemd, dacht hij.
Hij bekeek het fruit en vroeg zich af wie dat daar had neergelegd. Toen bukte hij om het op te rapen. Op dat moment had hij in de gaten dat er een touwtje aan vast zat.
Nog vreemder, dacht hij.
Het touwtje zat vast aan een kandelaar in de woonkamer. Toen hij de bananen opraapte, trok hij automatisch aan het touwtje, waardoor de kandelaar van de schoorsteenmantel viel.
Verbaasd bekeek meneer McGuire de kettingreactie die er toen ontstond. De kandelaar viel op een pedaal. Er ontsnapte lucht waardoor er een bal de lucht in vloog. Die viel op de afstandsbediening van een afstandbestuurbare raceauto, die door de kamer racete en tegen een duveltje-in-een-doosje aanknalde. Het poppetje schoot eruit, raakte de knop van een bureaulamp, die aan ging. Het licht scheen precies op een vergrootglas. Er werd een bundeltje licht op een touwtje gericht. Daaraan bungelde een laars, die naar beneden viel. De laars raakte een

bowlingbal die op een plank lag. De bal rolde eraf en kwam terecht op een kant van de wip. Aan de andere kant vloog met een enorme vaart een zak rijst de lucht in. Daardoor werd er een lus aangetrokken om de enkels van meneer McGuire, die vervolgens aan zijn voeten omhoog werd getrokken naar het plafond.
"Waaah!" krijste meneer McGuire die op zijn kop aan het plafond bungelde.
Hij kon niet geloven dat hij gevangen was. De mega-muizenval was zó indrukwekkend geweest, dat hij er niet bij stil had gestaan dat hij zelf de muis wel eens kon zijn!
Er was maar één persoon in zijn huis met een brein dat geslepen genoeg was om een project als dit op te zetten. Meneer McGuire deed zijn mond open en bulderde: "Matt! MAAAAATT!"
Een seconde later verscheen er een chimpansee in beeld. Meneer McGuire piepte van schrik, stomverbaasd het harige dier te zien.
"Oké…" mompelde hij verward. "Er is dus echt een aap."
De chimp greep de bananen, wees toen naar de bungelende meneer McGuire en lachte

vervolgens gemeen.
“Hé, die bananen zijn voor mij!” riep meneer McGuire terwijl de aap zich omdraaide en de deur uit huppelde. “Matt! Hé, Matt!”
Meneer McGuire zag hoe er een groen kleed over de chimpansee werd gegooid.
“Goed gedaan, Lanny!” joelde Matt. Hij rende naar zijn vader en zei: “Alles is in orde, pap, we hebben hem. Lanny had gelijk: die aap zou niet in de bananentruc trappen, maar jij wel. En dan zou dat beest vanzelf komen om je uit te lachen.”
Meneer McGuire zuchtte. Hij moest toegeven dat Lanny en Matt hun onschuld nu wel hadden bewezen. “De volgende keer als je zegt dat er een aap rondloopt in huis, zal ik je wél geloven. Het spijt me. Ik denk dat we hier allemaal van geleerd hebben.”
“Yep,” zei Matt. “Jij hebt geleerd dat je me wat meer moet vertrouwen en ik heb geleerd dat jij goed apen-aas bent.”

HOOFDSTUK 8

Later die avond zat Lizzie in de achtertuin een glas ijsthee te drinken.
"Lizzie?" riep mevrouw McGuire.
Lizzie zuchtte. Ze probeerde zich al de hele avond voor haar moeder te verstoppen. Nu was ze betrapt.
"Uhuh," zei ze.

“Ik heb net met oma gepraat,” zei mevrouw McGuire die naast Lizzie op de schommelbank ging zitten.

“Je opa heeft een rode roos voor haar gekocht en haar meegenomen naar een Mongools barbecue-restaurant,” ging mevrouw McGuire verder. “Alles is weer goed. Ze wilde gewoon een gezellig avondje uit met haar man.”

"Liefje, je hebt er geen idee van hoe fijn ik het vind om hier met jou over te kunnen praten," zei mevrouw McGuire.
"Ja, fijn hè mam," zei Lizzie tam. "Graag gedaan, hoor."
Mevrouw McGuire hoorde de ondertoon in Lizzies stem. Ze fronste bezorgd. "Gaat het wel goed met je?" vroeg ze.
"Ja. Alles is goed. Ik bedoel: oma en opa zijn nog bij elkaar, dus is het goed," zei Lizzie. Ze haalde haar schouders op. "Ik denk dat ik voor niks in paniek raakte."
"Raakte je in paniek?" vroeg Lizzies moeder.
"Nee," zei Lizzie snel. Ze wilde niet dat haar moeder te weten kwam dat ze dit soort dingen niet aan kon. Toen fronste ze. Misschien wilde ze juist wél dat haar moeder het wist. Zuchtend vertelde ze haar moeder de waarheid.
"Ik raakte eigenlijk wel in paniek," gaf Lizzie toe. "Dat wilde ik helemaal niet – ik wilde er juist zijn voor jou. Maar… oma en opa uit elkaar. Pap die problemen met de belasting had en ik…"
Mevrouw McGuire zuchtte. "Liefje, wat

spijt me dat," zei ze. "Ik wilde je echt niet ongerust maken."
"Weet ik," zei Lizzie. "Maar dat werd ik wel. Misschien ben ik nog niet helemaal klaar voor dit soort dingen."

"Ik vind het leuk om samen dingen te doen, mam," zei ze. "En om over van alles te praten. Maar misschien moeten we nog een paar jaartjes wachten. Is dat goed?"
Lizzies moeder lachte. "Tuurlijk," zei ze. "Ik zal je missen, duifje van me."
"Ik zal jou ook missen, mam," zei Lizzie. "Ik

ben blij dat we vriendinnen kúnnen zijn."
"Ik ook. En het is het waard om te wachten," zei mevrouw McGuire. Ze pakte haar portemonnee. "Als jij dit nu eens zo lang voor me bewaart..." Ze gaf Lizzie het stukje rode plastic uit de pottenbakkerij.
"Wow! Een stukje rood plastic?" zei Lizzie plagerig.
"Het is me erg dierbaar," zei mevrouw McGuire serieus. "Als je dat nu eens teruggeeft als je er aan toe bent om vriendinnen te zijn, goed?"
Lizzie knikte. "Oké."
Toen gaven ze elkaar een echte *Orchideeën-en-gumbo-club*-knuffel en Lizzie realiseerde zich dat ze ook buiten op de 'veranda' stonden, net als Tallulah en Darcy Lou.
Ding-dong!
Binnen ging de bel en meneer McGuire stond op om naar de deur te gaan. Matt en Lanny volgden hem. Ze namen de aap mee aan een touw.
Terwijl meneer McGuire de twee mannen begroette die aan de deur stonden, knielde Matt neer voor de aap en zei: "Je bent een ontzettend stoute chimp en ik wil je apenkop

hier nooit meer zien."
Lanny knikte vol overtuiging.
"Goedendag," zei de ene man. "Je had gebeld over onze chimpansee?"
"Ja," zei meneer McGuire. De man heette David en hij zat bij meneer McGuire in het softbalteam. Meneer McGuire herinnerde zich dat David een chimp als huisdier had.
"Daar ben je, Fredo!" juichte David. Hij hield zijn armen wijd en de aap sprong er middenin. "Ik ben zo blij dat jullie hem hebben gevonden! Wat is het een schatje, hè?"
Matt kneep zijn ogen tot spleetjes bij die opmerking, maar toen bedacht hij dat hij altijd had geleerd: als je niks áárdigs te zeggen hebt, zeg dan maar helemaal niks.
"We gaan," zei de andere man, die Jeremy heette.
"Ik heb je zo gemist," kweelde David.
"Je bent weggelopen, Fredo," zei Jeremy, de andere man. "Mijn hart was gebroken."

Toen pakten Jeremy en David ieder een van Fredo's harige handjes in hun hand en gingen ervandoor. Maar vlak voor ze gingen, keek de chimp nog een keer naar Matt.

En toen... begon hij weer al spetterend en spugend bellen te blazen. En Matt? Die spetterde uit alle macht terug!

Een paar dagen later hingen Miranda en Gordo samen rond in de Digital Bean.
"...en toen kreeg ik heel leuke nieuwe oorbellen van haar en nog lipgloss en oh ja, ook nog een nieuwe trui," zei Miranda.
"Toch lijk je niet echt blij," vond Gordo.
Miranda haalde haar schouders op. "Nou, ze was zo blij dat we iets samen deden, dat ze het halve winkelcentrum voor me wilde leegkopen. Ik voelde me superschuldig."
"Fijn dat je geweten ook eens mee komt doen," zei Gordo droog.
"Zeg dat wel," zuchtte Miranda. Toen herinnerde ze zich dat Gordo ook aan een doe-iets-met-je-ouder-project had gewerkt. "Hoe was het voetballen?"
"Ging niet door," zei Gordo mat. "Toen we om acht uur vijftien aan het genieten waren van de mooie natuur, opende een stinkdier de aanval op ons. Ik heb de hele dag in een bad met tomatensap gezeten."
Miranda boog zich naar hem toe en snoof.

"Je ruikt anders naar... dennenbomen," zei ze.
"Dat is de auto-luchtverfrisser," zei hij. Hij haalde een touwtje omhoog dat aan zijn nek bungelde. Een groen kartonnetje in de vorm van een dennenboom kwam onder zijn shirt vandaan.
"Hé jongens!" riep Lizzie. Ze kwam op hen af.
"Hoi!" zei Gordo. Hij zag dat Lizzie haar moeder weer had meegenomen. "Dag mevrouw McGuire."
"Dus je komt zelf naar huis?" vroeg mevrouw McGuire aan Lizzie.
"Blijft u niet?" vroeg Miranda. Ze kon er niets aan doen dat ze hoopvol klonk.
"Nee," zei Lizzies moeder. "Ik heb Lizzie alleen even gebracht en nu ga ik lekker koffiedrinken."
Ze trok een bedenkelijk gezicht en vroeg zich af waarom Gordo rook als een dennenbos.
"Waarom heb je je moeder niet meer op sleeptouw?" vroeg Miranda.
Lizzie haalde haar schouders op. "Ik denk dat het nog niet helemaal werkte."

Miranda knikte instemmend. “Het is lastig om met ouders om te gaan,” zei ze.
“Zij hebben hun wereld, wij de onze,” zei Gordo op zijn typische, diepzinnige manier. “Het is niet goed om die twee te laten mengen.”
“Ja, dat is niet goed,” beaamde Lizzie.
Maar was dat echt zo? vroeg ze zich af terwijl haar vingers speelden met het rode stukje plastic dat ze aan haar bedelarmband had vastgemaakt. *De orchideeën- en gumbo pokerclub* was niet helemáál mislukt, dacht Lizzie. Haar moeder en zij hadden nu een aantal speciale herinneringen samen.
Een eindje verderop had mevrouw McGuire haar koffie op en ze stond op het punt te vertrekken.
Toen keek ze Lizzies kant op en moeder en dochter glimlachten naar elkaar.
Op dat moment wist Lizzie precies wat ze tegen elkaar zouden zeggen als zij het stukje rode plastic terug zou geven aan haar moeder…
“Oh, mama, mama. Ik wil dat we vriendinnen zijn. Vriendinnen voor altijd.”
En haar moeder zou haar aankijken en zeg-

gen: *"Ik ben zo blij, lief duifje. Nu kan ik eindelijk zeggen wat ik altijd al wilde: Welkom bij de Orchideeën- en gumbo pokerclub."*

Lizzie
McGuire

DEEL
2

HOOFDSTUK 1

Nadat ze smoothies hadden gedronken in de Digital Bean, daagde Miranda Sanchez haar beste vrienden Lizzie McGuire en David 'Gordo' Gordon uit hun Ultieme moment van Schaamte op te biechten.

"Oké, mijn ergste moment," zei Lizzie, die aan een tafeltje in de hoek ging zitten. "Ik stond voor het bord voor de klas en liet mijn krijtje vallen. Ik bukte om het op te rapen..."

Lizzies stem werd zachter, toen ze zich het geluid van haar scheurende broek herinnerde.

"Oh, dat weet ik nog!" lachte Miranda terwijl zij en Lizzie gingen zitten. "Er stond 'dinsdag' op je onderbroek terwijl het al woensdag was."

Lizzie kromp ineen bij de gedachte.

"Mijn verhaal is veel erger," zei Gordo.

Hij pakte een stoel en schoof aan bij de meisjes. "De eerste en meteen laatste keer dat ik ging bowlen, gooide ik de bal negen keer achter elkaar in de goot. Ik werd er zo nerveus van dat mijn vingers dik werden en… nou ja…"
Hij rilde bij de herinnering aan het gierende geluid van de zaag. "Ze moesten de bal er in het ziekenhuis afzagen."
"En dat noem jij erg?" vroeg Miranda. "Nou, ik…"
Op dat moment zag Lizzie dat Ethan Craft naar hun tafeltje toekwam.
Lizzie maakte een 'hou je mond'-gebaar, maar Miranda had het niet in de gaten. Ze klepte maar door.
"Ik deed in een vakantie mee aan een Missverkiezing. En ik moest overgeven en dat deed ik precies over iemand van de jury!"
Om haar verhaal kracht bij te zetten, bootste ze haar spuugpartij na. "Dat was echt héél erg. Mijn absoluut Ergste Moment." Toen zag ze dat Ethan achter haar stond.
"Oh," zei ze beschaamd. "Tot nu toe dan."
"Maak je niet druk, Miranda," zei Ethan.
Te laat.

Miranda’s wangen waren al brandweerwagenrood.
Ethan haalde zijn schouders op en klopte haar op de rug.
“Vakanties zijn erg voor iedereen,” zei hij en hij grijnsde naar Lizzie en Gordo. “Hé allemaal.”
“Hai Ethan,” zei Lizzie dromerig. Gordo mompelde iets van ‘hallo’ en Miranda liep richting de toonbank, zich halfdood schamend.
“Yo, Gordon,” zei Ethan. “Die film die je me aanraadde afgelopen weekend. Die was steengoed. Ik geloof dat ik mijn eigen filmadviseur heb gevonden.”

"Mooi," zei Gordo. "Vrijdagavond draaien ze Psycho in de Wilco. Dat is echt een klassieker."
"In zwart-wit?" vroeg Ethan.
Gordo knikte.
"Nou ja, eigenlijk houd ik meer van kleur," bekende Ethan.

Gordo zuchtte. Of je hem nu iets over filmklassiekers wilde bijbrengen of wiskunde wilde leren, bij Ethan kwam het toch niet aan.

"Trouwens," zei Ethan. "Ik ga vrijdag bowlen met een stel vrienden."
"Oh echt?" vroeg Miranda, die weer aanschoof met redelijk normaal gekleurde wangen, en een mega-koek in haar handen. "Wat toevallig. Wij gaan vrijdag ook bowlen."
"Oh ja? vroeg Lizzie, die Miranda verbaasd aankeek. Miranda keek terug met een blik van 'JA WE GAAN!'.
Lizzie slikte. "Ach natuurlijk," zei ze. "Dat is waar ook!"

"Wow," zei Ethan. "Dan zien we elkaar daar." Hij keek Gordo aan. "Jij bent natuurlijk ook supergoed in bowlen. Ik bedoel: is er iets wat jij níet kan?"
Gordo grijnsde bij de veronderstelling dat hij óveral goed in was, maar dat had Ethan niet in de gaten.
Hij wuifde op zijn nonchalante Ethanmanier en zei: "Ik zie jullie."
Lizzie wachtte even tot Ethan buiten beeld was en barstte toen los. "Het is toch niet te geloven dat we vrijdag gaan bowlen met Ethan Craft?"
"Het wordt superleuk!" juichte Miranda.
"Waarom lúisteren jullie nooit?" klaagde Gordo. "Ik ga echt niet nog een keer een bal van mijn vingers laten zagen. Veel plezier, meiden."
"Maar we hebben net tegen Ethan gezegd dat jij ook komt," jammerde Miranda.
Gordo rolde met zijn ogen. "Oh. Ja, ik wil hém natuurlijk niet teleurstellen."
Miranda fronste bij Gordo's sarcasme, maar Lizzie had dat allemaal niet in de gaten. "Ik kan het gewoon niet geloven!" zuchtte ze. "Weet je wel wat dat betekent?"

Miranda keek naar Lizzie en de meiden zetten het samen op een gillen.
Gordo hield narrig zijn handen op zijn oren.

HOOFDSTUK 2

Later die middag kletsten Lizzie en Miranda door de telefoon aan een stuk door over hun groepsdate met Ethan Craft.

"Ik kan het nog steeds niet geloven," zei Lizzie terwijl ze de keuken instormde om haar popcorn uit de magnetron te halen. "Oh hellep, hij is zo… zo…"

Lizzie had niet eens in de gaten dat haar vader er ook was. Ze was alleen maar bezig met alle belangrijke beslissingen die ze nog moest nemen voor het weekend. Welke schoenen moest ze aan, welke kleren en tas, hoe zou ze d'r haar dragen, welke lipgloss moest ze op?

"Hoorde je dat?" vroeg meneer McGuire aan zijn vrouw nadat Lizzie de keuken weer uit was geracet naar haar slaapkamer.

"Hoorde ik wat?" vroeg mevrouw McGuire, die in een hoekje van de keuken groente stond te snijden.
"Lizzie, net aan de telefoon?" zei meneer McGuire, die probeerde een vastgeplakte dop van een fles sladressing af te draaien. "Ze is ergens helemaal vol van. Verder weet ik het ook niet… Ik kén haar bijna niet meer…"
Uiteindelijk lukte het hem de fles open te maken. Hij hield 'm onder zijn neus om te ruiken of de inhoud nog goed was. "Weet je nog dat ze het leuk vond om dingen met óns te doen?"
"Dat was voordat ze zich schaamde voor ons en niet meer met ons gezien wilde worden," zei mevrouw McGuire. Ze stopte met snijden en keek hoe haar man aan de fles slasaus stond te snuiven.
"Ik snap niet waarom ze zich voor ons schaamt," zei hij. Hij zette de fles neer. Er bleef een klodder dressing aan zijn neus hangen.
"Het ligt niet aan míj…" zei mevrouw McGuire terwijl ze een wenkbrauw optrok.
Meneer McGuire staarde zijn vrouw aan.

Hij had totaal geen erg in de sausdruppel aan zijn neus.
"Liefje, het is gewoon de leeftijd," legde mevrouw McGuire haar echtgenoot uit. Ze liep naar hem toe en veegde met een handdoek de dressing weg. "Ze denkt dat wij alleen maar op aarde rondlopen om haar het leven zuur te maken."
"Lizzie wordt zo snel groot," zei meneer McGuire. "Ik wil deel uitmaken van haar leven… Weet je wat ik ga doen? Ik ga van het weekend uit eten met haar. Alleen wij tweetjes."
"Oh, dat is lief van je!" zei mevrouw McGuire.
Ze had wel in de gaten dat dit belangrijk was voor haar man. Al wist ze nog niet zo zeker of het idee bij Lizzie in de smaak zou vallen.
"Het wordt geweldig!" meende meneer McGuire. "Ik bedoel: ik hoef haar alleen maar te laten zien dat ik echt wel eh, cool kan zijn. Ik ben echt eh, mega vet. Yo man."
Mevrouw McGuires maag kromp samen toen haar man 'hippe taal' probeerde te gebruiken.
"Eh, lieverd, nu schaam ík me een beetje

voor je," zei ze tegen hem.

Terwijl meneer en mevrouw McGuire in de keuken hun problemen bespraken, zaten Lizzies broertje Matt en zijn altijd zwijgende vriendje Lanny op de bank in de kamer.
"Ik ben het nogal zat dat Heywood Briggs ons de hele tijd pest," zei Matt tegen zijn beste vriend.
Lanny knikte en trok de deken die over zijn benen lag wat strakker aan.
"En ik vind het erg vervelend dat hij ons als voetbal gebruikt," ging Matt verder. "Het is natuurlijk best leuk om door de lucht te vliegen, maar dat landen lukt nog niet zo erg."
Hij wees naar Lanny's deken. "En waarom moest ie jouw kleren zo nodig hebben? Ze hadden toch al een echte vlag?"
Arme Lanny had zich achter een bord moeten verstoppen tot Matt hem een deken van school had gebracht. Dankzij Heywood wapperden nu, op de plaats van de gewone vlag, Lanny´s broek en shirt aan de mast.
"En voor het eerst in mijn leven heb ik geen plan," bekende Matt. Hij schudde zijn hoofd.
Opeens trok Lanny zijn wenkbrauw op.

"Echt?" vroeg Matt. "Denk je dat het slim is om flink te gaan trainen zodat we sterker en groter worden dan Heywood?"
Lanny's gezicht straalde.
"Nou, kom op dan," zei Matt vol zelfvertrouwen. "Eens kijken of we iets kunnen vinden waarmee we aan de gang kunnen."
Toen ze de kamer uitliepen grijnsde Lanny naar Matt.
"Da's een goed idee," zei Matt. "Lizzie zit vast op haar kamer. Dat wordt lachen."

'sAvonds na het eten was Lizzie weer in de keuken, om ijs te pakken. Haar vader kwam binnen en schraapte zijn keel.
"Hai Lizzie," zei hij.
"Yo, pap," zei Lizzie.
Hij bewoog raar met zijn hoofd. "Alles kits?"
Lizzie keek hem niet-begrijpend aan. Ze gooide de bak met ijs terug in de vriezer en zocht een lepel in de la. "Kits?" herhaalde ze, in de hoop dat ze het niet goed had gehoord en dat haar vader niet opeens vage taal uitkraamde.
"Yeah man, alles kits? Ik wilde effe checken

hoe het met je gaat," zei meneer McGuire.
Oh help! dacht Lizzie geschrokken. Hij probeert hip te doen. Ze moest dit gedrag meteen de kop indrukken. "Wat checken?" vroeg ze scherp. "Waar héb je het over?"
Het licht ging uit.
"Heb je weer zo'n Hoe Ga Ik Om Met Mijn Kind-boek zitten lezen?" vroeg Lizzie.
Meneer McGuires gezicht betrok. "Nee," zei hij. "Maar ik wilde je wel wat vragen."
Lizzie stond strak van spanning.

"Oh," zei Lizzie ongemakkelijk. "Nou, vertel maar."
Meneer McGuire sloeg zijn armen over el-

kaar en haalde ze meteen weer los. “Ehm,” zei hij aarzelend, “Ik vroeg me af… Heb je zin om vrijdagavond samen te eten?”
“Eh… nou… we eten toch élke avond samen?” vroeg Lizzie.
“Ja, ja, natuurlijk,” antwoordde meneer McGuire. “Maar ik bedoel... gewoon alleen wij samen. Je weet wel: een vader-dochter-uitje.”
Lizzie beet op haar lip om niet in lachen uit te barsten.

“Eh… ja,” zei Lizzie. Ze deed haar uiterste best om haar gezicht in de plooi te houden. “Lijkt me… leuk.”

“Leuk. Precies! Net wat ik dacht,” zei meneer McGuire. “Je weet wel. Heel... jofel.”
Hij stak twee vingers op toen hij de keuken uitliep. Lizzie probeerde het gebaar na te doen. Ze schudde haar hoofd en zuchtte. Mijn arme, zielige, er-niks-van-snappende vader, dacht ze. Maar één ding moest ze hem nageven: hij probéérde het in elk geval!

HOOFDSTUK 3

De volgende dag stapte Miranda tijdens de pauze op Gordo af. Hij zat aan een tafeltje buiten een boek te lezen.

"Hé," zei ze en ze zette haar dienblad neer.

Gordo keek meteen op terwijl hij zijn boek onder de tafel probeerde te verstoppen.

"Hé. Wat is er?" vroeg hij gespannen.

Miranda staarde hem aan. "Waarom word je nou rood?" vroeg ze. Ze kneep haar ogen tot spleetjes. "Wat ben je aan het lezen?"

Gordo's blik veranderde van ongemakkelijk in compleet paniekerig – en Miranda veranderde snel van onderwerp. "Nee, laat maar zitten," zei ze snel. "Ik denk dat ik het niet wil weten."

Gordo kennende ging het over iets heel ranzigs. Het ontleden van een kadaver of zo.

Gordo zuchtte en liet haar het boek zien. "Strike! Uw complete bowlinggids," las Miranda hardop voor. Ze schudde verbaasd haar hoofd. "Ik dacht dat je niet met ons meeging?"
"Was ik ook niet van plan. Maar toen bedacht ik dat het misschien wel goed voor me is," bekende Gordo.
"Hoezo?" vroeg Miranda.
"Omdat ik me niet wil laten leiden door angst," antwoordde Gordo serieus.
"Huh?" zei Miranda. In haar beleving hadden angsten te maken met dingen als skydiven, bungeejumpen en snorkelen op plaatsen waar haaien zaten. In ieder geval niet met bowlen.
"Luister," legde Gordo uit. "Jij doet op vakanties nog steeds mee aan Miss-verkiezingen zonder misselijk te worden. Lizzie weet dat ze wiskunde kan volgen zonder uit haar broek te scheuren. Ik vind dat ik moet kunnen bowlen zonder bij de EHBO te eindigen."
Miranda knikte.
Als hij het zo zei, klonk het heel logisch. "Je hebt gelijk," zei ze. "Ik zal je wel helpen.

Ik zal je geestelijk begeleiden."
"Ik heb geen geestelijk begeleider nodig," zei Gordo. "Ik wil gewoon leren bowlen." Hij stak zijn neus weer in het boek.
"Gordo. Bówlen is het probleem niet," zei Miranda terwijl ze het boek uit zijn handen trok. Ze wist precies hoe ze hem kon helpen. Een paar maanden geleden had ze een tv-psycholoog aan het werk gezien die gedragsproblemen van mensen uit het publiek oploste. Ze wist zeker dat ze wel wat van die trucs op Gordo kon loslaten.
"Ik ga je leren hoe je moet relaxen," zei Miranda. "Dat je zelfs rustig blijft als je toch een paar ballen in de goot gooit en dat je dan niet meteen een hamer nodig hebt om de bal van je hand te beitelen."
Gordo beet op zijn lip en dacht even na. "Oké," zei hij toen.
"Wow," zei Miranda. "Dat ík jóu nou eens kan helpen." Normaal gesproken was Gordo degene die alles wist en kon, degene die een ander hielp als die een probleem had. "Dat is echt voor het eerst."
"Weet je," zei Gordo. "Ik denk dat niemand verbaasder is dan ik."

Later die dag hing Lizzie een beetje rond in de hal toen ze een van haar favoriete invalleraren langs zag komen.
"Hoi meneer Dig!" riep ze.
Meneer Dig stopte voor Lizzie en deed zijn knalgele koptelefoontje af.
"Ik wist niet dat we vandaag een invaller hadden," zei Lizzie.
"Ach," zei hij met een opgetrokken wenkbrauw, "er zijn vast meer dingen die je niet weet. Wat je morgenochtend eet bijvoorbeeld, of wat je donderdagmiddag na schooltijd gaat doen of met wie je naar het schoolfeest gaat? Dat maakt het leven interessant, vind je ook niet?"
Lizzie keek verbaasd.

“Eh ja, natuurlijk,” zei Lizzie.
Meneer Dig glimlachte en schoot het klaslokaal in. Op dat moment kwamen Gordo en Miranda er aan.
“Hé!” riep Lizzie enthousiast. Ze was vanmorgen bij de tandarts geweest en had nog geen gelegenheid gehad de anderen te vertellen over het vreemde gedrag van haar vader. “Mijn vader doet zo raar. Hij wil dit weekend met me eten.”
Miranda fronste verbaasd. “Dat doe je toch elke avond al?” vroeg ze.
Gordo schudde zijn hoofd. “Nou ja, mijn bowlingavondje vrijdag gaat vast veel minder soepel dan jouw etentje zaterdagavond,” verzekerde hij haar.
“Gordo” zei Miranda streng.
Gordo keek haar even aan. Daarna zuchtte hij en dreunde keurig zijn riedeltje op: “Bowlen is leuk. Bowlen gaat prima. Ik hoef niet naar de EHBO.”
Miranda glimlachte, deed haar tas open en haalde er een chocoladekoekje uit.
“Goed gedaan,” zei ze en ze aaide hem over zijn hoofd.

Gordo kauwde en hield zich in om niet te gaan blaffen.
"Wacht eens even. Zei je nou dat je vríjdag gaat bowlen?" vroeg Lizzie. Ze had totaal niet in de gaten wat een raar tafereeltje zich net had afgespeeld. "Ik dacht dat het záterdag was?"
"Nee, vrijdag," wist Miranda zeker. "Het staat in mijn geheugen gegrift."
"Maar dan heb ik al met mijn vader afgesproken!" krijste Lizzie.
"Nou, dan ga ík met je vader uit eten en dan ga jíj voor mij bowlen?" stelde Gordo voor.
"Gordo!" snauwde Miranda. Hij moest echt leren dat zijn negatieve gevoelens over het bowlen niet opbouwend waren.
Gordo zuchtte. "Bowlen is leuk. Bowlen gaat prima. Ik hoef niet naar de EHBO," mompelde hij.
Miranda gaf hem weer een koekje en hij at het meteen op.
"Nou ja, je kunt niet níet gaan," zei Miranda tegen Lizzie. "Ethan komt ook!"
Lizzie rolde met haar ogen. "Dat was ik bíjna vergeten..." Alsof ik dat zou kúnnen... dacht ze.

"Hoe ga je dit aanpakken?" vroeg Gordo. "Oftewel: met wie ga jij je vrijdagavond doorbrengen?"

"Ik ga mijn vader natuurlijk afzeggen. Wat denk je anders? Hij snapt het wel," zei Lizzie overtuigd.
Op dat moment ging de bel. Miranda en Gordo gingen de klas in, maar Lizzie kon opeens haar benen niet meer bewegen.

Ik doe wat ik moet doen, dacht ze, terwijl ze in haar uppie in de lege hal stond. “Denk ik,” mompelde ze.

HOOFDSTUK 4

Intussen hadden Matt en Lanny zich helemaal op hun Word-Groter-Dan-Heywood-Briggs-fitnessplan gestort.
Omdat ze energie nodig hadden om spieren te kweken, betekende Fase Eén dat de vrienden zich moesten volproppen met proteïnerepen en milkshakes. Toen waren ze klaar voor Fase Twee.
De jongens trokken fitnesskleding aan en Matt ging op de vloer zitten. Hij had met Lanny afgesproken hoeveel sit-ups ze moesten doen om mee te beginnen. Honderd, hadden ze besloten.
Lanny hield de enkels van Matt vast. Die lag op de grond en moest met zijn bovenlijf omhoog komen. Matt deed zijn uiterste best en werd er erg zweterig van. "Hoeveel heb ik

er al?" vroeg hij buiten adem.
Lanny stak vier vingers op.
"Dit wordt 'm niet," hijgde Matt. Dat gefitness kostte veel teveel inspanning! Ze hadden een nieuw plan nodig.
"Hé!" riep Matt toen hij even had nagedacht. "Onzichtbaarheid. Hij kan ons niet pesten als hij ons niet ziet. Kom mee!"
Om hun onzichtbaarheidplan te testen, schilderden de jongens zichzelf in precies dezelfde kleur eischaal-wit als de muur bij de trap. Daarna drukten ze zich tegen de muur en wachtten tot er iemand voorbij kwam die hen niet zou zien.
Toen meneer McGuire de trap afkwam met een restaurantgids in zijn handen, deden Matt en Lanny hun ogen dicht en hielden ze hun adem in.
"Dag Lanny, hai Matt," zei meneer McGuire toen hij langskwam.
"Pff!" gromde Matt. Hij gaf zichzelf een klap tegen zijn hoofd. Wat nou, onzichtbaar! Meneer McGuire liep gewoon verder en bladerde in zijn gids. Hij was op zoek naar het perfecte restaurant om Lizzie mee naartoe te nemen vrijdag.

"Yo yo Lizzie!" riep hij toen hij de huiskamer in liep. "Ik vroeg me af: wat dacht je van Indisch?"
Lizzie keek op vanaf de vloer, waar ze haar huiswerk lag te doen. "Eh..." piepte ze.

"Ik dacht dat het wel leuk zou zijn om eens iets nieuws te proberen," zei haar vader.

Meneer McGuire krabbelde aan zijn hoofd. Hij zag dat zijn dochter ergens mee zat. Misschien toch een ander restaurant, dacht hij. "Als je liever pizza gaat eten is het ook goed," zei hij snel. "Ik vind alles goed."

Lizzie haalde diep adem en probeerde haar woorden voorzichtig te kiezen. “Pap, ik heb er lang over nagedacht,” zei ze langzaam, “misschien… kunnen we een andere datum prikken?”
Het gezicht van haar vader betrok. “Oh,” zei hij. Hij was duidelijk nogal teleurgesteld.
“Weet je, Gordo, Miranda en ik hadden al bowlingplannen voor vrijdag,” legde Lizzie snel uit. “Er gaan nog meer mensen mee van school en het wordt echt heel erg… eh, leuk.”
“Dat begrijp ik,” zei meneer McGuire. Hij probeerde zijn best te doen om zijn teleurstelling te verbergen. “Ga jij maar lekker bowlen met je vrienden. Veel plezier.”

Lizzie glimlachte. Ze had heus wel door dat haar vader teleurgesteld was. Maar hij begreep het vast. "Pap, we kunnen toch een andere keer iets doen?" stelde ze voor. Ze stond op en raapte haar huiswerk op.
"Wanneer?" vroeg hij. Hij keek alweer wat vrolijker.
"Als jij me nou naar het bowlingcentrum brengt?" zei Lizzie. Ze legde haar hand op zijn schouder. "Dat is toch zeker tien minuten rijden. Hebben we een hele tijd om te kletsen."
Opnieuw moest meneer McGuire slikken van teleurstelling. "Dat zou… geweldig zijn," zei hij tegen Lizzie. "Je kunt op me rekenen."
"Fijn dat je het zo goed opvat, pap," zei ze. Ze gaf hem een zoen op zijn wang en racete naar haar kamer. En ze liet een teleurgestelde vader achter.

De volgende dag hadden Gordo en zijn 'geestelijk begeleider' weer een gedragsveranderende sessie op het schoolplein.
"Bowlen is leuk. Bowlen gaat prima. Ik hoef niet naar de EHBO," dreunde Gordo.

"Prima!" juichte Miranda. Ze gaf hem een koekje. "We zijn toe aan de volgende stap."
"Krijg ik dan ook weer koekjes?" vroeg Gordo hoopvol.
Miranda fronste. "Ga zitten," commandeerde ze en ze wees naar een bankje. "Doe nu je ogen dicht."
Gordo knikte en gehoorzaamde.
"Stel je voor dat je op een bowlingbaan bent," zei Miranda.
"Oké," zei Gordo.
"Stel je nu voor dat je een bal bent," zei ze.
Gordo deed zijn ogen open. "Ik BEN de bal?" vroeg hij verbaasd.
"JIJ bent de bal," herhaalde ze geduldig.
Zuchtend deed Gordo zijn ogen weer dicht en probeerde te doen wat ze zei. Hij probeerde zich te verbeelden dat hij een bowlingbal was. Opeens werd hij neergekletterd op een houten vloer. Gordo de bowlingbal was met een noodgang op weg naar de kegels aan het eind van de baan. Een paar seconden later knalde hij de kegels om.
"Aaaah!" riep Gordo. Hij deed van schrik zijn ogen open en schudde driftig met zijn hoofd. "Ik wil geen bal zijn!"

"Ook goed," zei Miranda sussend. "Dan ben je de kegels."
Gordo probeerde het opnieuw. Hij sloot zijn ogen en stelde zich voor hoe hij aan het eind van de baan stond. Een keurig rijtje witte kegels. Oké, dacht hij, ik ben de Hoofdkegel. Zo gaat'ie goed.
Opeens hoorde hij luid gekletter. Aan de andere kant van de baan had iemand een bal gegooid. En het gigantische ding kwam keihard op hem af!
"Aaah!" riep Gordo toen de bal hem omver wierp. Opnieuw gingen zijn ogen wijdopen van schrik. "Dit werkt ook niet," zei hij tegen Miranda.
Op dat moment kwam meneer Dig langs op zijn scooter. En hij reed recht tegen de boom in het midden van het pad. Miranda en Gordo renden naar hem toe.
"Meneer Dig, alles goed?" vroeg Miranda.
"Meneer Dig, wat is er gebeurd?" vroeg Gordo.
Hun favoriete leraar knipperde met zijn ogen en grijnsde. "Ik ben ergens tegenaan geknald," zei hij met een grote glimlach.
"Dat kun je wel zeggen," zei Miranda. Ze

keek bezorgd naar Gordo. Het was toch nog-al vreemd om zo enthousiast op een botsing te reageren… Maar goed, dacht ze toen. Hij was dan ook geen gewóne leraar.

"Het moest een keer gebeuren," zei meneer Dig. Hij klopte op zijn helm. "Gelukkig had ik voorzorgsmaatregelen genomen. Wauw, dat voelde goeoeoeoed!"

Gordo draaide zich om naar Miranda. "Denk je dat hij een hersenschudding heeft?" vroeg hij zachtjes. "Hij doet nog maffer dan anders."

Meneer Dig ging staan en klopte het vuil van zich af. "Kijk, niks aan de hand," zei hij. "Dat was best grappig."

"Maar u ging helemaal onderuit," zei Gordo.

"Jep. Had ik nog nooit gedaan," zei hun leraar. "Ik ben gek op nieuwe ervaringen!"

"Meneer Dig," zei Miranda. "U doet, eh, een beetje raar."

Meneer Dig haalde zijn schouders op. "Dat hoort bij de grote reis," zei hij.

Gordo rolde met zijn ogen. "Even raden. U bedoelt zeker… onze levensreis?" vroeg hij.

"Nee," zei meneer Dig. "Ik bedoel de reis naar het kantoor van de conciërge."

Hij parkeerde zijn scooter naast de school. “Maar ik vind het een mooie gedachte, Gordo,” zei hij.
Gordo schudde zijn hoofd en keek meneer Dig na. “Ik snap er niks van,” zei hij tegen Miranda. “Hij gaat plat op zijn gezicht en lacht er nog om.”
Miranda haalde haar schouders op. “Ik zei het toch: RAAR!”

HOOFDSTUK 5

"Doelwit komt eraan," fluisterde Matt in zijn walkie-talkie. "Ik herhaal: het doelwit komt eraan. Over."

Aan de andere kant van de kamer knikte Lanny. De jongens hadden een nieuw plan bedacht om die vervelende Heywood Briggs aan te pakken. Bij dit plan hoorde: a. legerkleding en camouflagekleuren in het gezicht en b: een stuk plastic en een heleboel honing. Ze hadden ieder een plaats ingenomen zodat ze goed op hun doelwit konden richten. Lanny zat verstopt achter het kookeiland. Matt zat achter een grote plant in de huiskamer.

"Bereid je voor op Operatie Mummie," fluisterde Matt in zijn walkie-talkie. "Over."

Omdat ze er zeker van wilden zijn dat hun

nieuwe plan werkte, wilden ze het eerst op een ‘vrijwilliger’ uitproberen. Dat was Lizzie, die nog van niets wist.
Lizzie had geen idee van wat haar boven het hoofd hing en liep de open ruimte tussen de keuken en de huiskamer in. Opeens stopte ze. Ze bleef met haar laarzen aan de vloer plakken. Met haar favoriete roze luipaardprint laarzen!
Ze keek naar haar zolen en zag dat die vol zaten met plakkerige honing! Boos probeerde ze haar laarzen uit de viezigheid te trekken.
Op dat moment hoorde ze Matt brullen als een legercommandant. “Go, go, go!” blafte Matt, terwijl hij en Lanny uit hun schuilplaatsen tevoorschijn kwamen en recht op Lizzie afstormden.
“Wat is dít?” riep ze verbaasd.
Maar Matt en Lanny begonnen haar in het plastic te rollen, als een soort mummie. “Nu ben je niet zo flink meer, hè Heywood?” brulde Matt.
“Heywood?” piepte Lizzie, helemaal in de war.
De jongens gingen maar door met rollen.

Steeds sneller gingen ze, totdat – bam! – Lanny en Matt tegen elkaar aan botsten en allebei op de vloer vielen.
"Matt! Pak me uit!" brulde Lizzie.
Matt hief zijn hoofd op. "Doe ik, doe ik," zei hij. Hij probeerde naar zijn zus te kijken, maar de hele kamer draaide rond. "Kun je even stíl liggen?" vroeg Matt.
"Ik kan me niet eens bewégen, sufkop!" snauwde Lizzie.
Matt schudde met zijn hoofd. Hij keek weer naar zijn zus. "Wat zei je?" vroeg hij hoopvol.
"Dat ik me niet kan bewegen!" schreeuwde ze.
Matt keek Lanny triomfantelijk aan. "Missie geslaagd!" verklaarde hij grijnzend. "Maar ik denk dat we voor Heywood wel dubbel zoveel spullen moeten inslaan."
"Als je me nu niet meteen losmaakt, roep ik mam," dreigde Lizzie.
Matt en Lanny sprongen onmiddellijk overeind. "Nee, nee, niet doen!" smeekte Matt.
"Oké, dan doe ik het niet," zei Lizzie.
Matt zuchtte opgelucht.
Maar net toen de jongens een highfive

deden, veranderde ze van gedachten.
“Máhááááám!” brulde ze.
Matt en Lanny maakten zich uit de voeten.

Een kwartier later zat mevrouw McGuire op Lizzies bed. Met een speciaal doekje en een peperduur reinigingsmiddel probeerde ze Lizzies favoriete laarzen schoon te krijgen.
Lizzie zat pruilend in een hoekje. “Waarom maakt Matt mijn laarzen niet schoon?” mokte ze.
“Zou je je broer dat klusje toevertrouwen?” vroeg haar moeder.
Lizzie keek nog bozer.
“Ik ook niet,” zei haar moeder.
“En toch,” zei Lizzie. “Hij sloopt alles. Ik wilde deze morgen aan, mam.”
Dat ze die laarzen aan wilde was het enige wat ze al dagen wist. Over de rest was ze nog steeds aan het denken. Maar Lizzie liet zich niet uit het veld slaan. Het was tenslotte geen alledaags klusje om precies díe outfit bij elkaar te zoeken die Ethan Craft ertoe zou besluiten een meisje ten huwelijk te vragen!
“Schatje, deze laarzen kun jij morgen aan als je gaat bowlen,” zei mevrouw McGuire.

Lizzie liep naar haar kast en haalde er een stapeltje broeken, rokjes en shirtjes uit. Ze had er dagen over gedaan om zes kledingstukken uit te selecteren.
Ik ben er bíjna, dacht ze.
"Ik hoorde van je vader dat jullie plannen in de ijskast zijn gezet," zei mevrouw McGuire.
"Ja," zei ze terwijl ze nadenkend naar een knalroze topje en een grijze blouse keek. "Maar hij begrijpt het wel, toch?"
"Oh, jazeker," zei mevrouw McGuire. "Je vader snapt best dat je veel liever iets met je vríenden doet."

Lizzie fronste. Zoals haar moeder het zei, klonk het niet leuk. “Maar Gordo, Miranda en ik doen élke vrijdag iets leuks samen,” legde ze snel uit.

“Ja,” zei haar moeder. “Daarom dacht je vader dat het leuk was om voor de verandering eens iets met hém te doen.”

Lizzie beet op haar lip. “Tja,” zei ze langzaam. “Als je het zo stelt...”

“Oh, maak je maar niet druk,” zei mevrouw McGuire. Ze wuifde met haar hand. “Je vader snapt nog niet helemaal hoe het zit met de volgorde van belangrijkheid.”

“De volgorde van belangrijkheid?” echode Lizzie.

“Ja. Kijk, met je vrienden wíl je graag tijd doorbrengen. Met je familie móet je soms tijd doorbrengen.”

“Maar zo zit het helemaal niet,” probeerde Lizzie zichzelf te verdedigen.

Haar moeder was haar te snel af. “Liefje, ik snap het heus wel. Maar je vader is soms niet zo snel van begrip.”

Ze stond op en hield de laarzen trots omhoog. “Kijk eens aan. Perfect. Je kunt ze aan, hoor, morgenavond.”

Lizzie pakte de schone laarzen aan en keek naar haar moeder. “Oké,” zei ze. Maar ze klonk niet meer zo enthousiast.
Opeens voelde ze zich ontzettend schuldig en egoïstisch. Misschien had ze het wel voorgoed verknald bij haar vader.
“Veel plezier,” zei mevrouw McGuire opgewekt. Ze wuifde en liep de kamer uit.

HOOFDSTUK 6

De volgende dag slopen Matt en Lanny door de achtertuin van de McGuires.
"Wat zonde," zei Matt. "Al die voorbereidingen en al ons harde werken. Voor niks."
Lanny knikte en lachte toen.
"Je hebt gelijk," zei Matt. "We hebben eigenlijk wel reden om iets te vieren. Ik bedoel: het gebeurt toch niet elke dag dat de grootste pestkop van de school zelf in het gips zit." Hij lachte.
Matt had het op straat gehoord. Die ellendige Heywood Briggs had een skateboard van een klein jochie afgepikt en was ermee gaan skaten. Toen hij even niet oplette, was hij tegen een schommel gebotst. Hij had een enorme smak gemaakt en was lelijk terecht terecht gekomen.

"Heywood zal wel pijn hebben," zei Matt, die zich de botsing precies kon voorstellen. Lanny knikte enthousiast.
Matt gebaarde naar de enorme berg plastic en honing op de tafel. "Dit hebben we denk ik niet meer nodig," zei hij tegen Lanny.
Maar Lanny was het er niet mee eens. Hij sloeg met zijn vuist op tafel.
"Je hebt gelijk," zei Matt. Hij knipte met zijn vingers. "We moeten blijven oefenen."
De jongens stonden op en verzamelden hun spullen.
We hebben alleen nog een slachtoffer nodig, dacht Matt. En meteen wist hij het. Het was té makkelijk. "Joehoe, Lizzie!" riep hij toen hij het huis in liep.

Lizzie had geluk; ze was niet thuis. Ze ging naar de Digital Bean, waar Gordo en Miranda weer een van hun 'zware gesprekken' hadden.
"Ik ben de bal geweest. De kegels. Ik ga echt niet ook nog de schoenen zijn. Moet je zien, alleen al bij de gedachte zwellen mijn vingers weer op," klaagde Gordo.
Miranda zuchtte terwijl ze door een tijd-

schrift bladerde dat op de stoel naast haar lag. Ze had alles geprobeerd met Gordo: positief denken, verbeeldings-oefeningen, ontspanning, koekjes. Er was nog maar een methode over. De Waarheid.
“Gordo, waarom worden je vingers dik als je ergens níet de beste in bent?” vroeg ze. “Je hóeft niet overal de beste in te zijn, weet je. Dan kan iets óók nog leuk zijn.”
Gordo knipperde. “Dat zal best. Zo heb ik het nog nooit bekeken,” bekende hij.
“Hé, jongens!” zei Lizzie, die zich op een stoel liet vallen.
“Hoe gaat ie?” vroeg Gordo.
“Maagpijntje,” zei Lizzie grijnzend. “Je weet wel, dat gedoe met mijn vader.”
“Je zei toch dat hij het wel snapte?” vroeg Gordo.
“Wat is er gebeurd?” wilde Miranda weten.
“Ik weet het niet,” zei Lizzie langzaam. “Maar ik heb met mijn moeder gepraat en nu denk ik dat ik een verkeerde beslissing heb genomen.”
“Zo zitten moeders in elkaar,” zei Miranda.
“Wat zou de góeie beslissing dan zijn?” vroeg Gordo.

"Weet ik niet. Ik ben een beetje in de war," zei Lizzie. Ze leunde met haar hoofd op de tafel en deed haar ogen dicht. Toen ze weer opkeek, zag ze iets waardoor ze nog méér in de war raakte. Ethan Crafts knappe kop keek haar breed lachend aan.
"Yo Lizzie," zei hij. "Ik zie je vanavond bij het bowlen, hè?"
Lizzie slikte. Hoe kon ze nu nog nee zeggen?
"Ja. Ik ben er!" zei ze opeens helemaal overtuigd. Toen moest ze aan haar vader denken.
"Denk ik," mompelde ze.

HOOFDSTUK 7

Later die avond stond Lizzie op en neer te springen in het bowlingcentrum. Ze had net haar eerste bal gegooid en álle kegels lagen om!

"Lizzie, super zeg!" piepte Miranda.

"Dank u, dank u," juichte Lizzie.

"Wow," zei Gordo. Hij was echt onder de indruk. En hij was niet enige. Ethan Craft had vanaf de baan ernaast mee staan kijken. Met een lach op zijn gezicht kwam hij cool op haar afgelopen.

"Yo Lizzie," zei hij. "Dat was vet knap."

Da's grappig. Jij bent ook vet knap. We zouden een perfect setje vormen! Lizzie beet op haar lip om niet iets niet-cools te doen, zoals gillen of zo. In plaats daarvan keek ze hem aan en zei alleen "Dank je."

Daarna draaide ze zich om en ging achter de scoretafel zitten. Miranda en Gordo stonden allebei op.
"Bowlen is leuk. Bowlen gaat prima. Ik hoef niet naar de EHBO," zei Gordo.
Miranda klopte op zijn schouder. "Goed zo," zei ze en ze gaf hem een koekje.
"Dank je," mompelde hij terwijl hij een hap nam.
Gordo pakte een bal, liep naar de baan, haalde diep adem, gooide de bal en keek hoe die over de baan rolde. Net voordat de bal bij de kegels kwam, maakte hij opeens een raar draaitje, waardoor hij in de goot terecht kwam. Gordo had niet één kegel omgegooid.
"In de goot!" riep hij blij.
"Yés!" riep Miranda.
"Heeeeel slecht!" grijnsde Gordo breed.
"Zo slecht heb ik het nog nooit gezien!" juichte Miranda.
"Dank je, Miranda," zei Gordo ernstig.
"Zonder jou had ik het nooit zo slecht kunnen doen."
"Hoe gaat het met je vingers?" vroeg ze.
Gordo hield zijn hand omhoog. "Nog helemaal gewoon," zei hij trots. Het leek erop dat

hij eindelijk iets deed gewoon omdat het léuk was!
Ethan riep hem vanaf de andere baan. "Yo Gordo, ik dacht dat je hier goed in was!"
"Is ie ook!" brulde Miranda.
"Ja man. Ik ben een super-bowler!" beaamde Gordo.
Ethan keek nog verwarder dan normaal. Hij fronste. "Jongen!" zei hij. "Je bakt er niks van."
"Inderdaad," zei Miranda. "Daarom ben ik ook zo trots op hem."
Gordo lachte naar Miranda en stapte toen naar Ethan toe. Hij legde zijn hand op Ethans schouder. "Ethan," zei hij. "Het leven is een reis."
Ethan fronste. "Eh ja, oké dan."
Miranda ging naast Lizzie aan de scoretafel zitten. "Hé," zei ze.
"Oh!" grijnsde Lizzie. "Vind je het niet superleuk?"
"Echt wel," fluisterde Miranda. "We zitten hier gewoon met Ethan Craft!"
Ze jubelden samen, zonder geluid te maken.
"En alles is goed gekomen," zei Lizzie. "Het was zo simpel dat ik het eerst niet snapte."

"Hoe bedoel je?" vroeg Miranda.
"Ik dacht, ik moet vanavond als een win-win-situatie zien," legde Lizzie uit. "Ik moest het even vanuit een andere hoek bekijken."
"Wat voor hoek?" vroeg Miranda.
"Net zoiets als jij met Gordo hebt gedaan," zei Lizzie. "Alleen moest ik dat met m'n vader doen."
Op dat moment kwam haar vader uit de snackhoek lopen. "Alsjeblieft," zei hij en zette een groot dienblad vol lekkere dingen op de tafel. "Patat, hotdogs, en extra veel ketchup."

Oké, dit is misschien geen duur restaurant. Maar als je met mensen bent die je leuk vindt, is ketchup op een schoteltje in plaats van pepermuntjes ook best oké.

“Ik geloof dat ik aan de beurt ben,” zei meneer McGuire. Hij trok snel zijn bowlingschoenen aan. “Kijk maar eens goed.”
“Denk erom, hè pap?” waarschuwde Lizzie. “Ík ben degene die de perfecte strikes gooit.”
“Denk erom, Lizzie,” zei hij. “Het zit in de familie.”

Lizzie lachte en beet op haar lip. Dit was een superavond. Maar er zat haar nog één ding dwars. “Pap, ik ben blij dat je erbij bent,” zei Lizzie. “Sorry dat ik zo naar tegen je deed.”
“Ik vind het lief dat ik mee mocht, zei meneer McGuire. “Ik ben wel niet de coolste vader van de wereld, maar ik vind het leuk om iets met jou samen te doen.”
Lizzie knikte. “Ik zit soms een beetje in mijn eigen wereldje,” bekende ze. “Maar ik vind het echt leuk zo. Moeten we vaker doen.”
“Je zegt het maar,” zei meneer McGuire met een glimlach.
“Moest je dat ding echt meenemen?” klaagde Lizzie. Ze wees naar de rood-wit-blauwe bowlingbal. ‘Sam McGuire,’ stond er met grote letters in gegraveerd. “Ik bedoel: iedereen kijkt...”

Meneer McGuire schudde zijn hoofd en hield de bal omhoog. "Ze noemen me niet 'Sam de Strikeman' omdat ik zo'n knappe kerel ben. Hoewel dat vast wel helpt."
Lizzie keek op en zag dat Ethan lachend toekeek. Lizzie lachte terug. En meneer McGuire zag het.
"Lizzie," fluisterde hij met een opgetrokken wenkbrauw. "Ik denk dat hij niet naar míj kijkt."
"Pá-hap!" siste Lizzie. "Ga jij nou maar bowlen!"
"Oké, oké," zei meneer McGuire en scoorde een perfecte strike.
De anderen staken hun duimen in de lucht.
Yes, dacht Lizzie. Pap had toch gelijk.
Strikes gooien zit écht in de familie!